Opschepper, liegbeest

Bies van Ede
Tekeningen van Jan De Kinder

Zw

Opschepper in de kring

De klas zit in de kring.
Het is maandagochtend.
‘Wie durft er een spreekbeurt te doen?’ vraagt juf.
De kinderen kijken elkaar aan.
Spreekbeurten zijn eng.
Dat weet iedereen wel.
Juf ziet het.
‘Nou, dan doen we dat niet,’ zegt ze.
‘Een andere vraag dan.
Wie gaat er in de vakantie iets bijzonders doen?’
Jos steekt zijn vinger op.
‘Mijn vader,’ zegt hij.
‘Mijn vader gaat heel ver vliegen.
Eerst naar Londen en dan naar New York.
Daarna gaat hij nog veel verder.
Zo ver, dat ik het niet weet.
Daarom ga ik met mama bij oma logeren in de vakantie’
‘Zo,’ zegt juf.
‘Dat is inderdaad bijzonder.’
‘Nee hoor!’ roept Olaf.
‘Helemaal niet.
Dat deed mijn vader vroeger al.
En ik ben heel vaak mee geweest.’
Jos trekt een gezicht naar Olaf.
Dat doet die jongen nou altijd.
Hij wil de belangrijkste van de klas zijn.
Als iemand nieuwe kleren heeft, heeft Olaf ze ook.

Gaat er iemand op een verre vakantie?
Olaf is er al eens geweest.
'Waar ben jij allemaal geweest?' vraagt de juf.
'Dat weet ik niet meer,' zegt Olaf.
'Ik was nog heel klein.'
'Dat is jammer,' zegt de juf.
'Dan heb je er niet zo veel aan gehad.
'En ik mag mijn vader ophalen!' zegt Jos.
'We vliegen helemaal naar eh ...
Dat moet ik nog een keertje vragen.'
'Doe dat maar,' zegt juf.
'We horen het graag in de kring.'
Jos krijgt het een beetje warm.
Hij mag zijn vader helemaal niet ophalen.
Hij heeft het ter plekke verzonnen.

Gewoon om Olaf een lesje te leren.
Maar is dat nou wel zo slim?
Hopelijk vergeet Olaf het weer.

Jos heeft pech, Olaf is niets vergeten.
In de pauze komt hij naar Jos toe.
'Ik geloof er niks van,' zegt hij.
'Jij gaat je vader helemaal niet ophalen.
Anders wist je best waar je heen ging.'
Jos bijt op zijn lip.
'Jij weet toch ook niet meer waar je geweest bent?'
'Omdat het al zo lang geleden is, sukkel.'
'Volgens mij zuig je het uit je duim!' zegt Jos.
'Ik ga lekker mijn vader ophalen.

Al is hij aan de andere kant van de wereld.'
Olaf lacht spottend.
'Opschepper, liegbeest!'
Jos loopt weg.
Waarom houdt hij zijn grote mond niet?
Olaf heeft gelijk: hij is een liegbeest.
Maar ik krijg je nog wel, denkt hij.
Hij heeft alleen nog geen idee hoe.
Jos denkt er de rest van de ochtend over na.
Waarom schiet hem niks te binnen?

De wereld op een bal

Tussen de middag gaat Jos naar huis.
Sommige kinderen blijven over, maar hij niet.
'Hebben wij een atlas?' vraagt hij onder het eten.
'Hoezo?' vraagt zijn moeder.
'Ik wil precies weten waar papa heen gaat.
En hoe ver het vliegen is.
En dan wil ik elk weekeinde naar papa toe.'
Zijn moeder glimlacht.
'Tja,' zegt ze.
'Een maand zonder papa is wel erg lang.
Maar hem achterna reizen zal niet gaan.
Daar hebben we het geld niet voor.'
Jos zucht.
Moet hij over Olaf vertellen?
Over hoe vervelend die opschepper is?
Hij doet het nog maar niet.
'Ik heb wat beters dan een atlas,' zegt zijn moeder.
Ze loopt de kamer uit.
Jos hoort haar naar de zolder lopen.
Het duurt een poosje voor ze weer terug is.
Ze heeft iets raars bij zich.
Het is een voetbal op een steel.
De voetbal heeft vreemde kleuren.
Heel veel blauw en ook veel groen.
'Dit is een globe,' zegt ze.
Ze zet de voetbal op tafel.
'Een watte?' vraagt Jos.

‘De aardbol in het klein.’
Zijn moeder geeft de bol een zwiep.
Hij draait als een dolle rond.
Ze stopt hem en wijst.
‘Kijk, dat blauw is allemaal zee.
Jos bekijkt de aardbol.
Wat een hoop water!
‘En het groene is zeker land?’ vraagt hij.
Zijn moeder knikt.
‘Hier is Engeland.
Daar gaat papa eerst heen, naar Londen.’
Ze wijst een rood vierkantje aan.

'Londen is niet zo ver van Nederland.'
Jos' moeder wijst naar een piepklein land.
'Wij wonen hier,' zegt ze.
Jos bekijkt de aardbol aandachtig.
Leuk dat je de aarde op tafel kunt hebben.
Hij vindt het erg interessant.
De rode vierkantjes in landen zijn steden.
Na lang zoeken vindt hij New York.
Dat is inderdaad een heel stuk verderop.
Amerika ligt aan de andere kant van de wereld.
'Maham! Waar gaat papa na New York heen?'
'Singapore, lieverd!' roept zijn moeder uit de keuken.
Jos zoekt en zoekt.
Singapore ligt ook heel ver weg.
Zowat aan de andere kant van de aarde.
'Hoe ver is het vliegen naar Singapore?'
'Van hier uit heel lang, schat.
Misschien wel twintig uur!'
'Wat, is de aarde dan zo groot?'
Zijn moeder komt de kamer weer in.
'Ja liefje.
Daarom blijft papa ook zo lang weg.'
'Ik wil mee,' zegt Jos.
'Schat, je zou je suf vervelen.
Vliegvelden zijn helemaal niet leuk.
En vliegen is óók geen pretje.
Je kunt geen kant op.
Je móét blijven zitten.
En met slecht weer kun je knap ziek worden.'

Jos zucht.
Zijn moeder zal wel gelijk hebben.
Toch is het niet eerlijk.

Als Olaf maar niet zo zeurde, dan was het minder erg.
Maar Olaf wacht Jos op het schoolplein op.
Hij heeft een foto bij zich.
'Kijk, dat ben ik toen ik in New York was!'
Jos ziet een groot standbeeld.
Hij kent het wel; het is het Vrijheidsbeeld.
Vóór het beeld staat een vrouw met een kind.
'Dat ben ik,' zegt Olaf.
'Ha!' zegt Jos.
'Dat kan iedereen wel zeggen.
Hoe weet ik dat jij het bent?'
Olaf is opeens een beetje in de war.
Hij kijkt naar de foto.
'Dat ben ik echt, hoor.'
Jos gelooft hem wel.
Maar om te pesten zegt hij: 'Je liegt.
Dat is gewoon maar iemand.'
Leuk dat Olaf nou eens rood wordt.
Olaf stottert iets onverstaanbaars.
In de klas moet Jos er nog om grijnzen.
Het is erg fijn dat Olaf zo in de war is.
Maar waarschijnlijk is Olaf écht in New York geweest.
Jos zal er nooit komen, en in Singapore ook niet.
En dus wint Olaf alwéér.
Nee, denkt Jos, daar steek ik een stokje voor.

Achter de pc

Jos' vader is die middag al vroeg thuis.
Hij zit met een berg papieren op de bank.
'Wat heb je daar?' vraagt Jos.
'Reispapieren, tickets, dat soort dingen.'
Jos gaat naast hem zitten.
Hij bekijkt de papieren.
Altijd handig om te weten hoe een ticket er uitziet.
Zijn vader zucht.
'Zelfs met internet heb je nog een berg papier.'
Internet ... denkt Jos.
Dát is nog eens een oplossing.
'Pap, mag ik op jouw computer?'
'Wat wil je doen?
'Iets opzoeken,' zegt Jos.
Hij krijgt een idee.
'Ik wil weten hoe Londen er uitziet.
Dan is het net of ik er ook ben geweest.'
Zijn vader glimlacht.
'Aha, jij wilt een wereldreis maken?'
'Ja, net als jij.
Maar dan gewoon op de pc.'
'Dat is goed,' zegt zijn vader.
'Ik help je wel.
Ze kruipen samen achter de pc.
'Weet je wat we doen?' zegt zijn vader.
'Steeds als ik ergens ben, zoek jij me op.
Op het internet.

GB
IRL
CH

Dan is het of we samen in zo'n verre stad zijn.'
'Kan niet,' zucht Jos.
'Waarom niet?'
Oma heeft geen internet.
En daar gaan wij heen, weet je nog?
Wij gaan naar oma.'
'Stom, vergeten,' zegt zijn vader.
'Nou, dan klikken we nu maar wat rond.'
Jos krijgt veel van de wereld te zien.
Hij ziet de Big Ben, een toren in Londen.
Hij ziet het grote standbeeld in New York.
Maar het is natuurlijk niet echt.
Het zijn alleen maar plaatjes.

De rest van de week doet Olaf vervelend.
Hij begint steeds weer over reizen.
'Ik ben in Parijs geweest,' zegt hij.
'Weet jij waar dat is?'
Jos schudt zijn hoofd.
'Dat is heel ver met de auto.'
De dag daarna zegt hij:
'Ik ben in Ierland geweest.
Je weet vast ook niet waar dat is.'
Jos begint het zat te worden.
'Hou nog toch op, man!' roept hij.
Olaf giechelt.
'Jij bent jaloers.
Omdat jij helemáál niet op reis gaat.
Lekker puh!

Jij gaat je vader helemaal niet halen!'
Jos wil hem wel een knal verkopen.
Hij doet het niet.
Ik moet een list verzinnen, denkt hij.
Olaf laten zien dat hij het mis heeft.

'Mogen wij je ophalen?' vraagt Jos.
Hij ligt in zijn bed.
Zijn vader heeft net voorgelezen.
'Wil je mij van het vliegveld halen?
Als ik terugkom bedoel je?'
Jos schudt zijn hoofd
'Nee, ik wil naar je toe vliegen.
En dat we dan samen teruggaan.'
'Dat wordt lastig,' zegt zijn vader.
'Maar ik heb het al tegen Olaf gezegd!'
Jos flapt het er zomaar uit.
'En nou loopt Olaf me te pesten.
Hij zegt steeds dat hij het niet gelooft.'
Zijn vader hoort het verhaal aan.
'Tja,' zegt hij als Jos klaar is.
'Niet zo slim van je, knul.'
'Nou is het al te laat,' zegt Jos.
'Wie weet nog niet,' zegt Jos' vader.
'Misschien weet ik wat.'
Hij vertelt niet wát hij weet.
Hij geeft Jos een kus en gaat weg.

Jos ligt nog lang wakker.
Steeds weer ziet hij Olaf voor zich.
Hij droomt van verre steden.
En steeds weer is Olaf daar.
'Je bent een opschepper!' roept Olaf in zijn droom.
Als Jos weer wakker wordt, is hij boos.
Boos op Olaf en op zijn droom.

Afscheid

Het is vrijdag heel vroeg.
De zon is nog niet eens te zien.
Jos en zijn moeder staan op de stoep.
Ze rillen een beetje van de slaap en kou.
De taxi rijdt de straat uit.
Jos en zijn moeder zwaaien hem na.
Jos' vader zwaait met zijn arm uit het raam.
Dan is hij verdwenen.
Jos en zijn moeder zuchten.
'Een maand zonder papa,' zucht Jos' moeder.
'Ga jij ook nog even naar bed?'
Jos schudt zijn hoofd.
Hij wil tv kijken.
Zijn moeder duikt weer onder de wol.
Jos zet de tv aan.
Dan ziet hij iets geks.
Zijn foto is weg.
Die van de schoolfotograaf.
Hij stond in een houten lijst.
Is hij van de tv gevallen?
Jos kijkt onder de tv-kast.
Hij gaat alle vensterbanken af.
De foto is er niet.
Heeft pap hem meegenomen?
Dat moet het haast zijn.
Zijn vader heeft iets bedacht.
Hij heeft Jos' foto in zijn koffer gestopt.

Nu gaat de foto de wereld over.
Was dat zijn vaders plan?
Nou dan is het een knap stom plan!
Wat heeft Jos daar nou aan?

Jos gaat naar school.
Olaf stapt uit een auto bij het plein.
Hij wenkt Jos.
'Kom eens!
Mijn vader wil wat zeggen!'
Jos sjokt naar de auto toe.
Olafs vader leunt door het raam.
'Olaf is echt in New York geweest,' zegt hij.
'Dus plaag hem niet meer.'
Het autoraampje schuift dicht.
Olafs vader rijdt weg.
Nou ja!
Jos kijkt naar Olaf.
Die staat te stralen.
'Zo, nou weet je het lekker,' zegt Olaf.
'En je mag me niet meer pesten.'
Jos kan even niets zeggen.
Wie was er aan het pesten?
Hij toch zeker niet?
Gelukkig is het straks vakantie.
Hoeft Jos Olaf een week niet te zien.
'Ik ben lekker in New York geweest,' roept Olaf.
'En jij niet, opschepper.
En je gáát niet naar New York ook!'

Jos geeft maar geen antwoord.
In de kring vertelt Olaf over de vakantie.
'Ik ga naar de wintersport,' zegt hij.
'Ik krijg skiles.
Dan mag ik van de hoogste berg af.'
'Zo,' zegt juf.
'Dat klinkt stoer, Olaf.'
Olaf grijnst vals naar Jos.
Je kunt zien dat hij zeggen wil:
Jij bent maar een sukkel.
Jos doet of hij niets ziet.
Maar van binnen kookt hij.

SPECIALITÀ
TORRONI B
MARCO DEI C

Thuis, om twaalf uur, zegt hij:
'Waar is papa nu?'
'Die zit nu al in Londen, schat.'
'Mag ik hem bellen?'
Zijn moeder schudt haar hoofd.
'Nu even nog niet.
Papa is aan het vergaderen.
Je mag tegen zes uur bellen.'
Jos heeft 's middags vrij.
Hij mag van zijn moeder op internet.
Je kunt er veel zien over New York.
Jos ziet ook nog reclame.
Voor een spelcomputer.
Het allernieuwste spel.
Alleen in Amerika te koop.

Na het eten mag Jos zijn vader bellen.
Hij neemt de telefoon mee naar zijn kamer.
Zo kan hij rustig praten.
Het lijkt of zijn vader beneden zit.
Zó helder klinkt hij.
'Waar ben je pap?'
'In de taxi op weg naar het vliegveld.'
'Ga je nu naar New York?'
'Ja,' zegt zijn vader.
'Neem je iets voor me mee, pap?'
Jos vertelt over het spel.
Zijn vader klakt met zijn tong.
'Is het thuis niet te koop?

Meen je dat nou echt?
Ik zal kijken of het niet te duur is.'
'En dan moet je het meteen opsturen,' zegt Jos.
'Niet wachten tot je weer thuis bent.'
'Waarom heb je zo'n haast?' vraagt zijn vader.
Jos weet het antwoord precies.
Maar hij zegt het niet.
Het is een geweldig plan.
Hij zal Olaf een lesje leren.
Hij zal laten zien dat hij in New York was.
Het computerspel is het bewijs.
'Ik moet ophangen,' zegt zijn vader.
'Ik ben al haast op het vliegveld.
Tot de volgende keer, schat.'
Jos hangt op.

Skibroek of klimbroek?

Op zaterdag gaan ze al vroeg naar oma.
Het is twee uur rijden.
Helemaal naar de andere kant van het land.
'Nou,' zegt zijn moeder.
'Het is geen wereldreis.
Maar we zijn wel bijna in het buitenland.'
Jos moet aan Olaf denken.
Hij wil het niet, maar het gebeurt toch.

'Is er sneeuw in het buitenland?'
Zijn moeder schudt haar hoofd.
'Voor sneeuw moet je een flink eind weg.'
'Dus wij kunnen niet op ski's?'
'Nee,' zegt zijn moeder.
'Nee, dat kunnen wij niet.'
Bah, denkt Jos.
Hij is bijna jaloers op die stomme Olaf.
Bijna, niet helemaal.

Bij oma is het altijd leuk.
Ze woont in een klein dorp.
Heel wat anders dan waar Jos woont.
Jos heeft zijn eigen kamer op zolder
Oma heeft een heel grote tuin.
Er zijn bomen om in te klimmen.
En ze heeft een hond om mee te rennen.
Jammer dat ze geen computer heeft.
Jos gaat wandelen met Bella, de hond.

Oma en mama drinken koffie en kletsen.
Jos slentert door het dorp.
Hij kijkt wat in de winkels.
Hij rent met Bella door een parkje.
En steeds denkt hij: waar zou papa zijn?
Als hij terugkomt, vraagt hij het meteen.
'Is papa nog in Londen?'
Zijn moeder schudt haar hoofd.
'Die is al op weg naar New York.'
'Mag ik hem dan straks bellen?'
'Oei,' zegt zijn moeder.
'Dat is lastig.
New York ligt aan de andere kant van de wereld.
Het is daar nu nacht.
Als het bij ons donker is wordt het daar dag.
Laten we wachten tot papa óns belt.'
Jos gaat maar weer naar buiten.
De dag is zó om.
Papa heeft niet meer gebeld.
Een beetje teleurgesteld gaat Jos naar bed.

Drie dagen lang gebeurt er niks.
Jos wandelt met Bella.
Hij speelt wat in de tuin.
Oma heeft dvd's gehuurd.
Een dvd-speler heeft ze wel.
Waarom heeft ze dan geen pc?
Op maandag loopt Jos met Bella door het park.
Opeens hoort hij iemand roepen.

'Olaf!' roept een stem.
'Olaf, kom je uit die boom?'
'Jahaa!' zegt een stem die Jos meteen herkent.
Als een haas duikt Jos achter een struik.
In een boom verderop beweegt wat.
En wie komt er omlaag?
Het is Olaf!
Jos' mond zakt een stukje open.
Dan komt er een grote grijns omheen.
Wie is hier nou de opschepper?
Olaf was zogenaamd op wintersport.
Ja ja, die Olaf toch.
Olaf kreeg skiles.
Olaf ging steile hellingen af.
Nou, helemaal niet dus.
Jos ziet Olafs vader.
Hij kijkt hoe Olaf naar hem toe holt.
Zo, denkt hij.
Jos wordt helemaal blij.
'Is je nieuwe broek niet vies?' zegt Olafs vader.
'Het is een skibroek, geen klimbroek.'
'Nee, pap,' zegt Olaf braaf.
Dan loopt hij weg met zijn vader.
Jos moet een beetje lachen.
Het is een skibroek, geen klimbroek ...
Alsof Olaf kan skiën ...
Als Olaf weg is, huppelt hij naar oma's huis.
Bella danst voor hem uit.

‘Er is iets voor je gekomen,’ zegt oma.
Ze loopt naar de tafel en pakt een brief op.
‘Een brief uit ...’
‘New York!’ roept Jos.
‘Een brief van papa!’
Hij trekt de envelop uit haar hand.
Hij voelt het meteen.
Er zit geen spel in.
Hij is op slag wat minder blij.
De envelop is van dun blauw papier.
Er zitten veel stempels op.
Jos scheurt hem open.
Er dwarrelt een foto uit.

Oma vangt de foto op.
'Nee maar,' zegt ze.
'Papa is zo te zien al in Singapore.'
Singapore?
Jos weet het nog wel.
Na New York ging zijn vader naar Singapore.
Maar als hij daar nu al is ...
Dan heeft hij geen spel gekocht.
Geen spel dat je alleen in Amerika kunt kopen.
Nu kan hij Olaf geen lesje leren.
'Wat kijk je opeens treurig,' zegt oma.
Jos haalt zijn schouders op.
Hij loopt naar zijn kamer.
'Moet je de foto niet bekijken?' roept oma.
O ja, misschien moet hij dat wel doen.
Jos sjokt weer naar beneden.
Wat heb je nou aan een foto?
Oma staat te grinniken.
Waarom is zij opeens zo vrolijk?
'Moet je eens goed kijken,' zegt ze.
'Ik ben benieuwd of je het ziet.'
Jos bekijkt de foto.
Hij ziet een straat vol auto's.
Er lopen veel mensen op de stoep.
Singapore is een drukke stad.
En dan ziet hij het.
Jos gelooft zijn ogen niet.
Midden op de stoep ziet hij ...
Ja het is echt waar, hij ziet ...

Het kán helemaal niet.
Toch is het waar.
Jos ziet zichzelf!

Een plat doosje

Jos zit met oma en mama op de bank.
Ze bekijken de foto.
Het is echt net of Jos in Singapore is.
Alleen als je het weet zie je het.
Hij is in de foto geplakt.
De foto van de schoolfotograaf is klein gemaakt.
Daarna heeft papa Josè gezicht op iemand geplakt.
'Papa heeft zijn best gedaan,' zegt mama.
'Je ziet er bijna niets van.'
'Nee,' zegt Jos.
'Het is heel knap.
Het is net echt.

Daarom wilde papa mijn foto mee,' zegt Jos.
'Hij had het al voor me bedacht.'
'Ja, maar waarom eigenlijk?' vraagt mama.
Dan vertelt Jos over Olaf.
Hij vertelt ook dat Olaf in het dorp is.
Niet op wintersport.
Niet op skiles.
Gewoon hier in het dorp van oma.
'Wat een raar verhaal,' zegt oma.
'Nou, leer jij die Olaf maar eens een lesje.
Als hij zo kan liegen mag jij het ook.
Mam is het er niet echt mee eens.
Maar ze vindt het toch wel een grap.
Oma zucht maar weer eens.
'Wat er allemaal niet kan!

Vroeger kon zoiets helemaal niet.'
'Koop ook een computer, oma,' zegt Jos.
'Dan kunt u het ook leren.'
'Wie weet doe ik dat nog wel,' zegt oma.
'Kun jij hier spelletjes spelen.'
'Jaah,' zucht Jos.
Hij is het er helemaal mee eens.

Op zaterdag is er weer post.
Alweer een brief uit Singapore.
Nu is het een dikke bruine envelop.
Jos maakt hem haastig open.
Er komt een plat doosje uit.
'Jaah!'
Hij juicht zo hard dat Bella er van schrikt.
Ze komt blaffend aangehold.
'Het spel!' roept Jos.
'Papa heeft het spel voor me gekocht!'
'Nou,' zegt mam.
'Je hebt geluk jongen.'
'Je hebt je spel dus toch nog.
'Ja,' zegt Jos, 'toch nog.'
Hij bekijkt het hoesje de rest van de dag.
Ach, had oma nou maar een pc.
Gelukkig gaan ze al bijna weer naar huis.
Jos kan haast niet wachten.
Olaf ziet hij niet meer.
En daar is hij wel blij om.
Want hij heeft een geweldig idee.

Oei, wat zal Olaf op zijn neus kijken.
Pap belt ook niet meer.
Hij is te ver weg.
Echt aan de andere kant van de wereld.

Olaf kijkt op zijn neus

De vakantie is weer voorbij.
Jos is gisteren thuisgekomen.
Nu zitten ze in de klas in de kring.
‘En?’ vraagt juf.
‘Hebben jullie een fijne vakantie gehad?’
‘Ik wel, juf!’ roept Olaf.
‘Ik ben van hoge bergen afgegaan.
Het was heel koud waar we zaten.

Wintersport is hartstikke stoer.'
'Dat geloof ik graag,' zegt juf.
'En Jos, ben je nog ver wezen vliegen?'
Jos kan geen antwoord geven.
Olaf brult erdoorheen.
'En ik had een ski-jack, juf.
En ook nog een skibroek.'
'Brul er nou niet doorheen,' zegt juf.
Jos kan het niet laten.

'Ja, het was een skibroek, Olaf.
Geen klimbroek.'
Olaf kijkt Jos aan.
Zijn ogen worden groot als euro's.
Olaf weet dat Jos hem doorheeft.
Hij doet zijn mond open en dicht.
Maar hij zegt niets meer.
Juf kijkt even verbaasd.
Dan zegt ze: 'Vertel jij eens Jos?'
Jos vertelt.
Hij laat de foto in de kring rondgaan.
Hij laat ook zijn spelletje zien.
'In New York was het niet te koop,' zegt hij.
'Dus kochten we het maar in Singapore.
En als je goed kijkt zie je me op de foto.'
Olaf hoort alles stilletjes aan.
Je ziet dat hij er de pest in heeft.
In de pauze roept juf Jos bij zich.
'Jos,' zegt ze.
'Die foto is niet echt, hè?'
Jos schudt zijn hoofd.
'Nee juf, maar hij komt wél echt uit Singapore.
Mijn vader heeft hem gemaakt.'
'Dat dacht ik al,' knikt de juf.
'Maar juf, Olaf is niet op wintersport geweest.
Hij was bij mijn oma in het dorp.'
'Dat dacht ik ook al,' zegt juf.
'Weet je wat; we houden het geheim.
We houden het allebei geheim.'

'Goed, juf,' zegt Jos.
'En weet je wat?' zegt juf.
'Vertel maar eens over de reis van je vader.
Dat vindt iedereen vast leuk.'
'Behalve Olaf,' zegt Jos.
'Ja,' knikt de juf.
'Maar dat laten we niet merken.'
'Nee,' zegt Jos.
'Ik maak er wel een spreekbeurt van.'

Zonnetje bij kern 12 van Veilig leren lezen

1. Stevenson
Peter Smit en Ina Hallemans

2. Opa's toverkoffer
Monique van der Zanden en Helen van Vliet

3. Opschepper, liegbeest
Bies van Ede en Jan De Kinder

ISBN 90.276.0173.9
NUR 287
1e druk 2006

Vormgeving: Rob Galema

Voor België:
Zwijsen-Infoboek, Meerhout

D/2006/1919/225